CONTENTS

目錄 2012年8月15日

原　作：王　澤
漫　畫：王　澤 王　瀚 楊維杰
總 編 輯：邱秀堂
編輯顧問：盧美杏
美術顧問：楊艷萍
美術編輯：陳育錡
漫畫助理：黃靖駣 施建文
　　　　　何宇心 葉炤君
授權行銷：何志焜 汪海清 謝依儒
Email：vip@omqcomics.com

老夫子四格六格漫畫
195

景點追追追
猜猜這是哪裡？
提示：香港......。

答案：請來信告知街名，將從答對者中抽出一名幸運讀者，贈送一份小禮物◎

定價：港幣20元
本刊物已在香港特別行政區政府登記

版權所有 翻印必究

出 版 者：吳興記書報社
地　　址：香港上環樂古道68號 地下一至二號鋪
電　　話：2544-0332．2545-0766
印 刷 者：興業(中國)印刷製本有限公司
地　　址：香港黃竹坑道44號 盛德工業大廈六字C座
電　　話：2553-2828．2553-2432
發 行 者：吳興記書報社
九龍電話：2759-3808．2759-4529
菲律賓總代理：老夫子書報中心

3

潛入海底明星休息室
老夫子大番薯開眼界

所謂台前風光台下寒酸，海底生物的休息室也這樣嗎？

不不不，根據老夫子和大番薯扮成送貨員潛伏報導，這些海底生物在後台

根本就樂得很，玩牌的，打GAME的，

追星的，狠吃狂喝的，

各個爽歪歪！

※老夫子異想世界，純為博你一笑，不要當真！
創意發想/盧美杏　發想繪圖/楊維杰、葉炤君　版面構成/陳育錡

窮鬼

此人在路邊乞討 **1** 很是可憐…

這錢你拿去 **2** 買些食物吧。

感謝您的 **3** 善心…

鬼！

4

考你 **1** 腦筋急轉彎

哪種比賽，贏的得不到獎品，輸的卻有獎品？

（答案請仔細找下一頁）

古董魚缸

老夫子●老夫子：修復舊電視。

神功

考你 2 腦筋急轉彎

青春痘長在哪裡，你比較不擔心？

（答案請仔細找下一頁）

自不量力

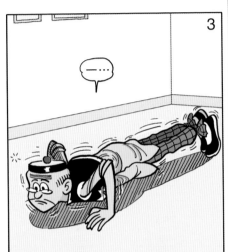

錢鬼

趣味繞口令

白家伯伯　北貪坡上白家有個伯伯，家裏養著一百八十八隻白鵝，
門口種著一百八十八棵白果，樹上住著一百八十八隻八哥。
八哥在白果樹上吃白果，白鵝氣得直叫：我餓！我餓！

超級強風

耐人尋味

趣味繞口令

鳥看錶 水上漂著一隻錶，錶上落著一隻鳥。
鳥看錶，錶瞪鳥，鳥不認識錶，錶也不認識鳥。

活學活用

1

你的功夫已練成，可以下山去了！

多謝師父！

2

徵人
御用廚師
一名
薪資面議

3

4

看漫畫猜成語

猜猜看以下漫畫各代表哪些成語

答案請看86頁

題目一：｜　｜斤｜　｜　｜

4

我叫你買竹竿
不是豬肝！
蠢材！

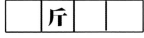

1

去買一百元的竹竿來！

5

你的耳朵呢！

2

八十元豬肝，二十元豬耳。

6

在此！

3

豬肝買來啦！

題目二： | | | 絲 | |

3

1

4

2

題目三： | | | 合 | |

3

咦？車門怎會掉下來！

1

4

這是體貼車主忘了鑰匙而做的全新設計！

2

這輛車多少錢

這樣車相當超值，只賣兩萬！

15

能屈能伸

歇後語猜一猜

A. 鬼話連篇。

①. 黑白無常敘交情

魔術鍋

歇後語猜一猜

A. 愈問愈遠。

①. 張飛問路

今古奇觀

歇後語猜一猜

Ⓠ. 一加一等於二

機器不靈

Ⓐ. 提不起。

歇後語猜一猜

Ⓠ. 麻繩栓豆腐

逃出生天

益智 IQ

Q: 七夕(農曆7月7日，西曆8月23日)，為什麼又稱情人節？

 七夕節，又名乞巧節、七巧節或七姐誕，是華人地區以及東亞各國的傳統節日。在現代的華人社會，七夕也被稱為「中國的情人節」，因來自於牛郎與織女的愛情傳說。

病入膏肓

益智IQ

Q：中元節在哪一天？

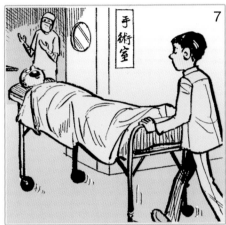

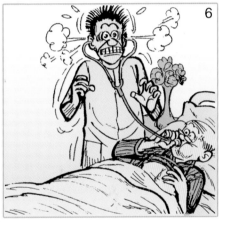

A: 中元節在農曆 7月15日 (今年西曆 8月31
日)。道教稱為中元節，佛教稱為盂蘭盆節
（簡稱盂蘭節）。

正中下懷

糾正

露出破綻

自不量力

搶的世界

時髦打扮

意外

撞魚記錄

鬼船

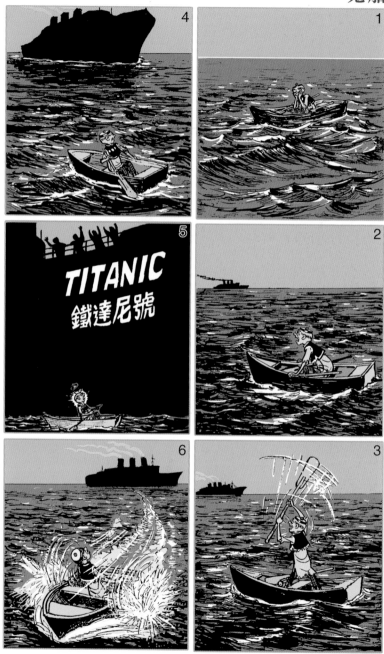

弄假成真

運動有功

防腐劑

地下發現一具人類屍體！

這是五千年前之乾屍，經化驗證實此人在當時吃防腐劑食物太多了，所以使他身體不壞！

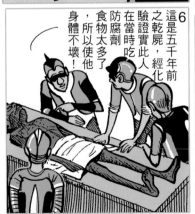
常吃即時麵對身體無益因內有防腐劑！為圖方便，沒辦法啦。

妙手仁心

4 他已經死了!

1

5 求你救救我的丈夫!沒有他我也不能生存!

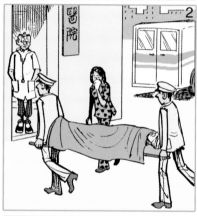

2

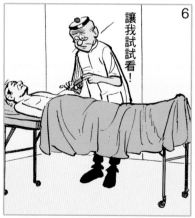

6 讓我試試看!

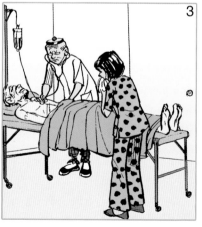

3

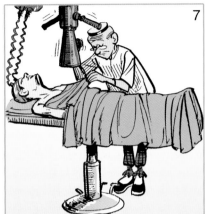

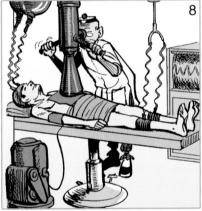

高等醫術

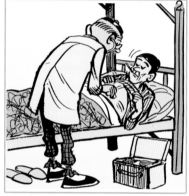

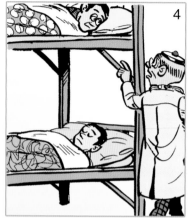

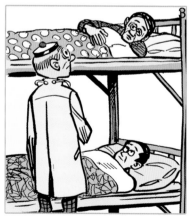

信不信由你

危險玩具

新樂器

生蛋

開玩笑

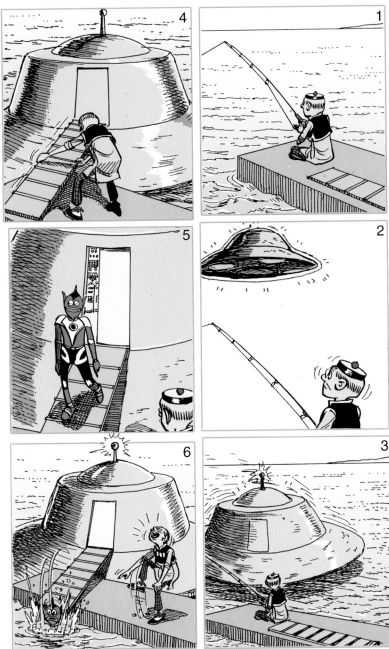

初學乍練

奇蹟

不幹了

小鬼

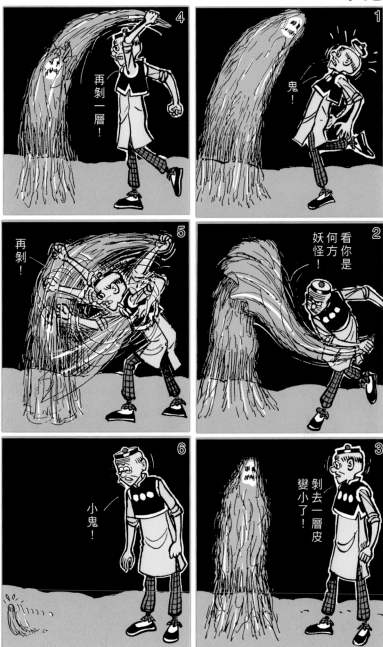

兔式步法

舞蹈風雲

操練之功

飢不擇食

剃鬚

1

禿和尚！我要報八十六年前一掌之仇！

2

竟敢來送死！

3

看八卦掌！

4

5

6

免費剃鬚！

智鬥老趙

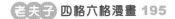

真有此魚

弄假成真

釣魚驚魂

嘩!老夫子開鏢局前進神秘古老村

兩個武俠迷老夫子、秦先生和大番薯被不可一世的老闆炒魷魚後,找了包租婆租了車房開起「老夫子鏢局有限公司」專門包運洋廣名貴貨物,而且保證安全運到。好不容易第一筆生意來了,是老趙的公司要委託老夫子鏢局送一批藥物到「古老村」,此村是一個三不管的地方,連各地軍警都無法入內,所以他們三人穿上防彈衣,帶了手鎗與手榴彈入虎山…就在半路和當地山寨惡霸來了一場生龍活虎鬥智又鬥力,展開緊張又有趣的過招過程。而令人意想不到的結局,更是爆笑連連。

古老村長篇連載,乃應讀者在網路上「跪求」而決定重出江湖。

王澤老夫子有四篇被封為長篇精典漫畫的除《老夫子水虎》外,尚有《猛鬼廟》、《狐狸仙》和於1965年畫的《古老村》。

且讓我們跟著老夫子發夢,穿梭「古老村」看鏢客及山寨惡霸的精彩較勁!(文/邱秀堂)

古老村

第一回

看我的回馬槍！

此處正是緊張的一段、黑臉賊大戰南北俠……

喂！你在幹什麼！

瘋了嗎！

哼！做了一生的〈天驕〉抹地佬、英雄無用武之地若是在古代、我就有用場啦！

我嗤！

哎呀

我若是大俠就用花槍戰敵人……

49

哈哈⋯⋯
開運輸公司
請問，我們三個
有多少車錢
呢了。

52

我们又沒有
貨車怎能
搬運呢了
如果搬運重大的物件
你修力嗎了？

50

有什麼
好笑的！

53

那麼我們專
門辦理輕微
而名貴的貨
物⋯如珠宝
鑽石等物⋯⋯

白日夢！

51

我的意思是開一間小型
的運輸公司、
由我们自己
出力去做，
我们将樓下的
車房租下作
我们的寫字樓、
這樣做不需很多牟錢的！

54

其实我们
開一間鏢局
如何了。

鏢局了，
越講越離晒
譜！

好嘢！
我贊成！

55 为什么要开镖局呢？我的意思是不在市内搬运，我们专为交通不方便的地方运输。

58 好！一百文一个月，一言为定！ OK！OK！

56 好办法！這樣我们可为交通不便的地方做些好事，並且我们可要比較高的代价！你係得嘅！

59 我同意！嘻嘻！我们的镖局应起個名。就叫老夫子镖局吧！

57 现在我們去找包租婆談談樣下車房之事。好吧！

60 老夫子镖局 有限公司
大打北派
保証安全運到
包運洋廣名貴貨物

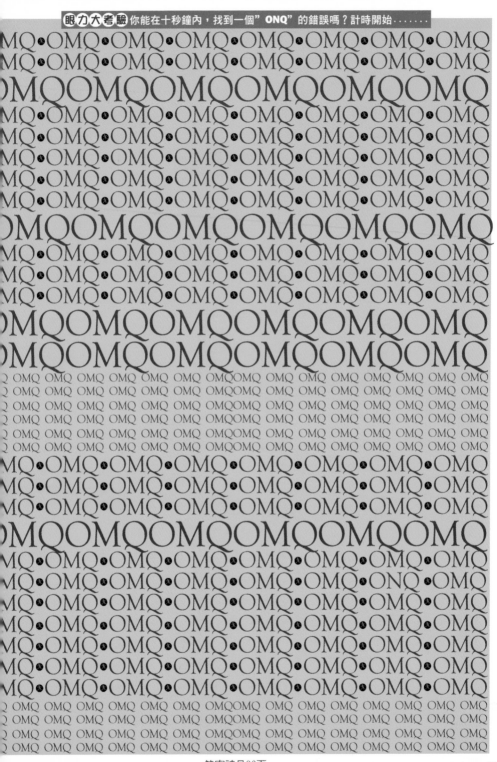

答案請見86頁

作者：王淦 Ken Wong

知名動漫畫師「The cleveland show」電視動畫
劇導演；王淦是老夫子作者王澤(本名王家禧)的
第六子，現任職於FOX ANIMATION。

老夫子年代大全集

獻給粉絲並向王澤致敬！

算命

老夫子
OLD MASTER Q

- 前六集初版已上市，其餘各集將陸續出版！
- 每集定價HK$190（NT$700），初版限量特價HK$160（NT$580）
- 香港銷售通路：OK便利商店、三聯相關書局
- 台灣銷售通路：金石堂、誠品、墊腳石、諾貝爾、紀伊國屋等書局

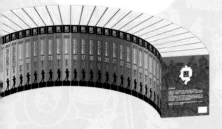

虛實有時　笑鬧有時

　　漫畫有虛構、有誇飾、有寫實、有比喻、有象徵、也有假借等不同手法，讓讀者看了會心一笑或哈哈大笑。看王澤的漫畫的讀者總不免問著：老夫子就是王澤的化身嗎？

　　第七冊(1971~1972)中有這樣一則漫畫，標題「算命」：老夫子走過算命攤，付了百元算命錢後，生神仙對老夫子說，「看你鼠頭鼠腦，一定屬鼠」；「放屁！本人屬貓，笨蛋！」老夫子回嗆生神仙。就這樣算命者與被算命者當場起口角衝突演起文鬥，文字已夠好笑了，最後一格，老夫子捲起袖子對生神仙挑釁說：先看這個老鼠再揍我吧！

中毒

　　其實這則「算命」漫畫與王澤息息相關，有回王澤在閒聊時，突然拱起手來，讓人看他的「老鼠」。呵~呵！王澤手中的「老鼠」與此則漫畫幾乎一樣壯觀。原來「老鼠」就是「二頭肌」，而這「二頭肌」是運動鍛練出來的。酷，天才漫畫家王澤將日常所發生的事或自己身上的經驗，藉由漫畫逗讀者一笑。

　　年輕王澤顯然熱愛運動，他還擅長什麼運動呢？本冊中如「誤解」、「大難臨頭」、「中毒」、「意外收穫」、「千奇百怪」、「香餌釣魚」等，都有釣魚的逗趣畫面，這些好笑的漫畫有可能是王澤釣魚時所得到的靈感嗎？讀者若對此產生好奇，可一冊接著一冊觀察下去，或許答案就在漫畫裡。

　　令人會心一笑的「老夫子」幽默漫畫，是知性閱讀的集體經驗，讓我們跟著《老夫子年代大全集》第7冊，隨著老夫子上山下海，發掘生活中的小確幸，使生活更多采多姿吧！

(文/邱秀堂)

時間：2012年
7月21日
中午12:00~13:00
（A區君爵廳）

2012 香港書展
老夫子簽名會
熱血直擊！

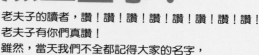

老夫子的讀者，讚！讚！讚！讚！讚！讚！讚！讚！
老夫子有你們真讚！
雖然，當天我們不全都記得大家的名字，
但你們的熱誠深印在我們心中。
特別感謝左圖中吳興記書報社的老闆（左3），
高齡89歲的吳中興先生全程參與，
特助余岳橋一家三口（左2. 左4、5）全都出動，
還有老夫子資深讀者黃志偉（右1）、
譚宇正（右2）及老夫子扮演團團長鄺民龍（左1）的協助，
簽名會圓滿成功。期待明年見！

吳興記書報社

▼從右至左：小魚毛、馬龍、袁家寶、曹志豪、邱秀堂、王澤、吳中興、何志焜、009、千草、謝米奇、Steven Chui；前排右至左鄺民龍、陳煦嵐讀者。

老夫子新書推介會 精彩花絮

時間：2012年7月19日下午6:30~7:15（香港灣仔會議展覽中心，展覽廳3E）

　　這是一次別開生面的「老夫子新書推介會」，老夫子台上、台下樂呵呵！

　　當晚台上除了作者小王澤，還有總編邱秀堂及資深讀者譚宇正、老夫子扮演鄺民龍團長、陳熙嵐讀者；台下有老夫子的四代粉絲，其中包括許多知名的漫畫人如馬龍、小魚兒等；藝術家、公仔設計師Steven Chiu、Danny Chan、姜紫藍等。

從小王澤出場始，熱情就已引爆！台上介紹《老夫子年代大全集》一出版，就造成書市搶購一空；而《老夫子王澤珍藏亮相─花樣香港‧那些年》熱銷今年再版，讀者回以熱情的掌聲；還有台下有兩位幸運讀者得到獎品，由吳興記吳中興老闆與小王澤親自頒給讀者版畫與大番薯存錢筒。

　　最後台下的漫畫家紛紛上台獻畫賀老夫子50周年慶。

　　今次的新書推介會，成了作者小王澤與讀者最熱烈的交流與擁抱！

▲從左至右：王澤、JOseph wang、Ming。

◀ 從左至右：
王澤、邱秀堂、
謝米奇。

▲ 王澤與009（左）。

▲ 王澤與小魚毛（右）。

▲ 王澤與Danny Chan（右）。　▲ 王澤與姜紫藍（右）。

◀ 從左至右：王澤、邱秀堂、曹志豪。

外星人搭UFO
光臨奧運？

◎文／吳清和

精神病毒外星人

倫敦奧運開幕式吸引了全世界10億觀眾收看，老夫子特地和一位叫做伯普（Nick Pope）的英國人形影不離，因為伯普說奧運會16天裡，一定有外星人到倫敦觀賞奧運，奧運開幕式是人類展示自我最佳的時機，伯普甚至揚言外星人可能在倫敦奧運會期間突然出現。

今年48歲的伯普，在英國國防部工作，從1991年到2006年對外太空不明飛行物進行調查UFO目擊報告，1993年他親自負責調查的科斯福德（Cosford）事件，當時飛碟在英國境內出現超過六個小時，特別是在兩個軍事基地上空出現，從此他由懷疑UFO的態度，變成深信不疑。

Bug Aliens
昆蟲外星人 病毒類

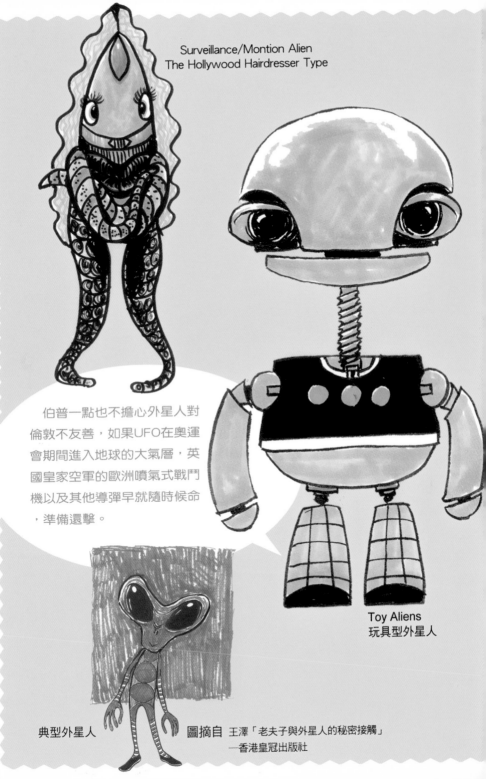

Surveillance/Montion Alien
The Hollywood Hairdresser Type

伯普一點也不擔心外星人對倫敦不友善，如果UFO在奧運會期間進入地球的大氣層，英國皇家空軍的歐洲噴氣式戰鬥機以及其他導彈早就隨時候命，準備還擊。

Toy Aliens
玩具型外星人

典型外星人　　圖摘自 王澤「老夫子與外星人的秘密接觸」
　　　　　　　　　　　　　　—香港皇冠出版社

香港 觀無敵夜景

天際100觀景台
鳥瞰維多利亞港

香港有多處景觀台,是欣賞日出、日落、夜景與煙火的無敵VIEW(視野)。其中打著站在100樓內,您就可以360度鳥瞰整個維多利亞港美景的「天際100香港觀景台」,是在環球貿易廣場100樓。此景觀台,交通相當便利,從港鐵九龍站圓方商場金區2樓前往即可到達。

踩在「天際100香港觀景台」上面的感覺非常奇妙,而維多利亞港的風景和夜景、煙火從電子望遠鏡的螢幕上,閃在眼前,嶄新的多媒體內建許多不同的場景模式,實在令人歎為觀止。

欲窮千里目,更上一層樓,到101的美食餐廳,當我坐在田舍家的落地玻璃窗前,看著遠方的山與海上點點的帆船,腦海裡立刻浮現白居易長恨歌的詩句:「…忽聞海上有仙山,山在虛無飄渺間…」

交通指南:香港九龍柯士甸道西1號環球貿易廣場100樓
天際100入口:圓方商場2樓金區(九龍地鐵站C出口)
溫馨貼士:SKY DINING 101,除了田舍家日本料理,還有天空龍吟、翡翠雲臺與龍璽酒家,中西式餐廳可選用餐。

(文/圖 邱秀堂)

老眷村新玩法

遊台北市城鄉會館遙望101

台北101現代化的建築世界聞名，在距離101大樓不遠處的信義區松勤街50號，有一座名為「台北市城鄉會館」，到此一遊，你一定會對這裡的古房子和周遭新穎的都市建築造成的視覺落差，感到興趣。

這片寧靜區域，在上個世紀中叫做「眷村」，是蓋給1949年起至1960年代，隨國民政府軍來台的軍人和眷屬住的地方。眷村其實就是個小型社區，幾十戶乃至百戶的眷村規模，成為近似隔離的單一社區，同一眷村內居民雖然互動密切，但卻不易與社區外溝通。加上生存空間狹小、公共設施缺乏、眷村建設落後等因素，眷村居民的下一代日漸搬離眷村，眷村因而沒落。

原名「四四南村」的「台北市城鄉會館」，是台北市政府刻意留下來供遊客一遊的休憩場所，斑駁的紅對聯，窄小房舍的磚牆上有藍、白、紅的國旗色彩與反共精神標語，相當復古。　　（文/吳清和　圖/楊艷萍）

交通資訊：搭公車於信義行政中心站即可到達信義公民會館。
電話：信義公民會館／洽詢電話 02-27237937
溫馨貼士：
上午09：00至下午04：00免費；週一休館暨國定假日

92歲的王肅珍（左2，老王澤的姐姐、小王澤的五姑姑）與表弟楊僖（右1），遠從美國費城飛到香港來看小王澤在「錦藝舫」的畫展，讓「錦藝舫」主持人趙式和（右3）與小王澤（右2）與總編秀堂（左1），超感動。

本人從少便很喜歡看老夫子，因有數期未能購買，請問可到那裡購買以前的老夫子呢？

Edjc 2012-06-25

Edjc，請到香港吳興記書報社；如您在美加地區，此網可郵購老夫子的相關商品OMQshop

http://www.omqshop.com/?r=nav。

嘩，果然有華人的地方就有老夫子的粉絲。這三張照片都是7月底小王澤在佛山參觀「黛富妮」家飾用品與在佛山嶺南新天地，被粉絲熱情包圍簽名又照相的畫面。

經營數十年的**老夫子算命攤**，享譽中外口碑，應廣大讀者要求，**老夫子鐵舌算命攤**在此誠心免費為讀者解決疑難雜症。

歡迎讀者來函寫下一字，老夫子必能根據你所寫的字，直斷你的運事！

（不準鐵舌不會爛，但請不要來踢館，老夫子有一顆很脆弱的心。）

老夫子斷字：

「言」，是說或講話。言字的上方看似出了頭，現在談感情太早了啦。再看，「言」+「忍」=「認」；「言」+「成」=「誠」；「言」+「人」=「信」。我認為誠實信用的人，又有幽默感，談感情應該是無往不利的。建議：不要想太多，多看詼諧的老夫子漫畫吧。

讀者 **孔思言**

問：**愛情**

※來函請寄 香港中環樂古道68號地下1-2號舖
或E-mail:stqchiu@gmail.com 來函請利用96頁

老夫子所交往的朋友也是無奇不有，除了大番薯、秦先生，女友陳小姐外，異性朋友也不少，連寵物、怪物、外星人都有。細數他的朋友五十親戚六十，簡直像是龐大的星球組織咧！好奇嗎？老夫子身邊的人物將一一上場。

人家都說我是狠角色，在背後叫我：Kill。咯咯！那個不懷好意的傢伙給我取了這樣洋里洋氣的綽號，小心，讓我知道了我宰了你。哼！

有道是知人知面不知心，我自知長得醜，但我有一顆溫柔的心，我的招牌歌就是：我很醜可是我很溫柔，大家都讚我唱得好哪！可不能因為我常穿有Kill字的T，就說我是「大膽狂徒」。

冤枉呀！

（口述／Kill；執筆／邱秀堂）

大膽狂徒

P14~15解答
遊戲解答
題目一：偷斤減兩

題目二：藕斷絲連

題目三：合情合理

P70解答
遊戲解答

噹噹噹！上課了。老夫子成語教室開班了！
老夫子親自主持，保證學會，免學費。

吾膝如鐵

例：老夫子認為男人當吾膝
　　如鐵，不過遇到求婚時
　　例外，隨時都可下跪。

比喻剛強不屈。

　至正十年，李齊出任高郵府知府。十
三年，泰州張士誠作亂，朝廷派李齊去
下安撫詔書。李齊被張士誠關了起來，
後命他下跪，李齊説：「吾膝如鐵，豈
肯為賊屈！」張士誠大怒，讓人強按他
下跪，不能如願，於是搗碎他的膝蓋，
將他殺害。出至《元史》

童言：老夫子要是結婚了取
　　　了有錢太太，可說吾妻
　　　如鐵飯碗嗎？
老夫子評語：哈哈。請不要
　　　　　　亂用成語，也
　　　　　　不要污衊我。

童語：吾膝如鐵可真是男
　　　子漢大丈夫呀？
老夫子評語：是呀，丈夫
　　　　　　有淚不輕彈；
　　　　　　男兒膝下有
　　　　　　黃金。

豆苗

什麼？豆的幼苗能吃嗎？

豌豆的嫩葉才好吃呀。

● 其他地區稱豌豆苗、安豆苗。
● 英文：Pea sprout, Easily dwarf pea

參考來源 http://www.fooddb.com.hk/

本百科搜羅全球人士的嘰嘰喳喳妙語，由Naterill精心整理。年長者嘰嘰喳喳問個沒完沒了；保證年輕人看了嘻嘻哈哈！

呀呼，老夫子！您知道現在流行什麼嗎？

趕快推，不然別人以為我們看不懂

主持人：Naterill

老夫子喳喳百科

　　俗話說得好，有道是知之為知之，不知為不知，是知也。很多時候網路會流行很多新用語或是比較艱難的專業語甚至異國的外來語，但有些人往往總會不懂裝懂，或是看得懂卻裝不懂！起初用來諷刺這樣的情況，但我卻覺得這樣的說法卻讓人感到可愛。

■風神雷神

　　出自日本17世紀（江戶時代）畫家表屋宗達作品，日本國寶，收藏於京都建仁寺，爲二曲一雙的屏風畫。

　　傳說，日本的風神和雷神是國津神（也就是鬼）的眷族，原本這兩個眷族是世仇，一見面就會用法器（風袋與雷神雲鼓）各顯神通互鬥，結果是在佛祖的勸說下罷手，成爲佛門的護法神。

▲ **區羨** 道教青松小學 五年級

▲ **楊欣瞳** 孫方中學 三年級

▲ **黃啟堯** 樂善堂梁銶琚學校 六年級

▲ **洪宛瑩** 漢華中學（小學部）

90

希望畫者畫得開心，讀者也看得開心。
歡迎你隨時隨地投稿得意的作品。彩色更棒喔！

作品
黃閱
評：嘩，百變老
夫子現身了！
（盧姐）

作品
孔鈺苓
評：老夫子夢幻
世界，王澤說：
讚！（萍姐）

作品
尹瀚廷
評：好嘢！水虎
傳重出江湖。
（邱姐）

我與老夫子
的因緣

◎譚宇正（香港『賀老夫子50年
香港畫板』籌劃人）

小時候被媽媽帶到去街邊小巷的飛髮舖理髮時，甫一到就第一時間拿起功夫櫈旁的「老夫子與秦先生漫畫」，拿著時總被其簡潔到肉的畫風及其詼諧有趣的內容深深吸引，但代價可不少…我又再變回小光頭了；卻喜歡到飛髮舖看老夫子漫畫，當時有我心中一直有個疑問：為什麼一本厚厚的「老夫子漫畫」，究竟有什麼魔力？驅使這個討厭理髮的小朋友可以乖乖地去飛髮舖？真是"耐人尋味"。

日後「老夫子」總會在我人生的每一個階段裡陪伴著我成長。記憶中應該是上世紀70年代，身邊小朋友身上總穿有一些卡通人物的T恤，而當年九歲的我；因為家境比較清貧；而身上只穿淨白白的底衫，每天均渴望自己可以擁有一件卡通人物T恤。

▲譚宇正說：老夫子是永遠的朋友。
上下兩圖是讓粉絲們最羨慕的照片，就是宇正在上世紀與本世紀分別與老小王澤的合影。

靈光一閃，倒不如親手繪自己喜歡的卡通人物在T恤上，手裡拿箱頭筆的時候，心裡想畫那卡通人物好呢？當時第一秒便閃過就是你～老夫子，雖然小時侯因為未夠功力可以畫好老夫子而失敗，但因為畫老夫子這一個念頭而令我努力學畫漫畫，亦令我與老夫子結下不解緣。

誠邀香港漫畫家、插畫家『賀老夫子50年在香港』為主題的畫板，正是業餘漫畫家譚宇正與老夫子扮演團長團長自組籌劃的壯舉！小正犀利呀！

想和老夫子一起變老......
讀者真摯告白 大家一起來

A說：我想五十年之後，我一定還是像現在一樣愛（ ）！

B說：我希望每天睡前最後看到的人是（ ）...我想和
（ ）一起慢慢變老。

C說：好笑嗎？身邊沒（ ）好怪：陪我一生一世好嗎？

D說：地球仍然轉動，世界依舊善變，而我永遠愛（ ）！

E說：人總是會老的，希望到時，（ ）仍在我身邊。

F說：只有（ ）知道我的情緒，也只有（ ）能帶給我好心情！

（ ）裡，您會填什麼？以上A、B、C、D、E、F讀者，填的都是（老夫子）喔！

在歡慶老夫子50週年之際，歡迎您來信寫出對老夫子最真摯的告白！

咱們196見！

狂賀！ 香港選手李慧詩在2012年奧運自行車女子凱林賽中獲得一枚銅牌。老夫子未卜先知，已於194期（8月1日發行）封面率先以「加油，奧運三巨頭」為本港自行車選手打氣加油。

果然，香港李慧詩戰勝病魔在奧運奪自行車賽銅牌，展現了她永不放棄的精神，令人感動。

▼漫畫家、公仔設計師、作家老友記，為老夫子50週年歡聚。

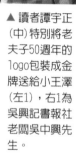

▲讀者譚宇正（中）特別將老夫子50週年的logo包裝成金牌送給小王澤（左1），右1為吳興記書報社老闆吳中興先生。

天馬行空 畫畫看

老夫子和大番薯到森林裡探險，
大番薯發現怪物．．．．．．，
請想像力豐富的讀者用彩筆畫出
老夫子和大番薯看見了甚麼？！

例

姓名：	生日： 年 月 日
學校：	
年級：	
住址：	
電話：	

請將畫好的圖連同左方表格內容填好，
郵寄到香港上環樂古道68號地下
一至二號鋪 吳興記書報社 收。
請各位小朋友踴躍參加！

老夫子 Q, 我來 A

195
四格六格

Q1. 我喜歡老夫子哈燒封面與大放送：
為什麼：

Q2. 我最喜歡本期的第幾頁：(請依1.2.3.4.5…排列)

Q3. 除老夫子漫畫外，本書內容我很喜歡：(可複選)
☐老夫子鐵舌不斷算命攤 ☐玩遍港台 ☐讀者添畫區 ☐專家達人妙讀老夫子
☐Q 童話精靈 ☐天馬行空對對碰 ☐老夫子成語教室
☐歇後語猜一猜 ☐益智IQ ☐讀者熱情貼 ☐喳喳百科
☐腦筋急轉彎 ☐老夫子遊戲 ☐趣味繞口令 ☐奧運熱身之老夫子大鬧倫敦
☐異想世界 ☐人物檔案 ☐老夫子什麼百科 ☐最HOT老夫子周邊商品

Q4. 我建議增加的內容或欄目，如：

A: _____

Q5. 我很想收集老夫子的 (可複選)
☐公仔 ☐撲克牌 ☐貼紙 ☐背包 ☐小飾品 ☐T恤 ☐隨身碟
☐鑰匙圈 ☐滑鼠 ☐瓷杯 ☐其他

Q6. 我最想投稿的欄目：
☐天馬行空對對碰(請參考90、95頁)
☐讀者熱情貼(請參考84頁)
☐其他

姓名： 性別：男　女
生日： 年齡：
住址：
聯絡電話：
E-mail：

請寄：香港上環樂古道68號地下一至二號舖
　　　吳興記書報社

老夫子
鐵舌不斷
一字算命攤

問：

姓名：
年齡：
性別：

※請參考第85頁！